D1316374

Ma vie heureuse

Rose Lagercrantz

Ma vie heureuse

Illustrations d'Eva Eriksson
Traduit du suédois par Nils Ahl

Mouche
l'école des loisirs
11, rue de Sèvres, Paris 6ᵉ

© 2013, l'école des loisirs, Paris pour l'édition en langue française
© 2010, Rose Lagercrantz (texte)
© 2010, Eva Eriksson (illustrations)
Titre de l'édition originale : « Mitt lyckliga liv »
(Bonnier Carlsen, Suède)
Publié en français avec l'accord de Bonnier Group Agency
Loi n° 49.956 du 16 juillet 1949 sur les publications
destinées à la jeunesse : mars 2013
Dépôt légal : mai 2013
Imprimé en France par I.M.E

ISBN 978-2-211-20963-2

Chapitre 1

Il est tard, pourtant Dunne n'arrive pas à
dormir. Certains comptent les moutons,
mais pas elle. Dunne compte toutes les
fois où elle a été heureuse.

La fois où, alors qu'elle était petite, son cousin Svante lui a donné une gre-nouille.

La fois où elle a réussi à nager trois brasses sans se noyer.

Et la fois où elle a eu un cartable pour sa rentrée à l'école élémentaire : elle l'attendait depuis si longtemps, ce cartable.

L'été lui avait semblé très long…

Elle avait tellement envie d'aller à l'école élémentaire.

Chapitre 2

Pour sa toute première fois sur le chemin de l'école élémentaire, Dunne réfléchit à ce qu'elle va faire là-bas.

Peut-être va-t-elle juste s'asseoir, et apprendre à lire et à écrire.

Mais elle sait déjà lire, un petit peu en tout cas. Elle a appris, l'année dernière.

— Est-ce que tu crois que je vais aimer ma maîtresse ? demande-t-elle à Papa.

— Bien sûr que tu vas l'aimer, dit Papa.

— Est-ce que tu crois que je vais aimer mes camarades de classe ?

Avant, Dunne était dans une autre école : elle ne connaît personne, ici.

Soudain, elle a peur.

Et si elle ne se faisait pas d'amis ?

Jamais elle ne retournerait à l'école, alors.

— Croise les doigts pour moi, Papa ! lui dit-elle en arrivant devant la grille.

Chapitre 3

La maîtresse les accueille à la porte de la classe.

Un petit garçon ne veut pas entrer dans la classe.

Sa maman lui promet un bonbon pour qu'il accepte.

Quand tout le monde est assis, la maîtresse dit :

– Bienvenue à l'école élémentaire !

Puis elle fait l'appel : il faut lever la main et répondre « présent ». Au moment de lever la main, Dunne a l'impression qu'elle va s'évanouir.

Ensuite, on leur distribue du papier et des crayons de couleur pour qu'ils écrivent leur nom.

Dunne s'appelle Daniela mais elle écrit Dunne.

Une fille qui s'appelle Mikaela écrit Mickan.

Et un garçon qui s'appelle Erik écrit Metteborg.

Et Jonatan écrit seulement Jonatan.

Ils savent tous écrire leur nom sauf un garçon. La maîtresse l'aide.

Et juste quand cela devient amusant, c'est l'heure de rentrer à la maison.

Le soir, Papa, le chat et Dunne fêtent
le premier jour d'école.

Le chat trouve que Dunne est une
grande fille, maintenant.

– L'école, ce n'est pas aussi terrible
que ça en a l'air, lui explique-t-elle. Je
suis juste un peu nerveuse, mais finalement, c'est très amusant.

Pourtant, Dunne n'a toujours pas d'amis.

Chapitre 4

Le jour suivant, Dunne est toute seule
dans la cour de l'école.

Pendant la première récréation, elle
se contente d'observer les autres.

À la deuxième récréation, elle découvre une petite fille qui reste, elle aussi, toute seule, à observer les autres.

Elles se dévisagent exactement en même temps.

Dunne prend son courage à deux mains et s'approche d'elle :

— On fait de la balançoire ? demande-t-elle à la petite fille, qui s'appelle Ella Frida.

Ella Frida hoche la tête.

Elles font de la balançoire jusqu'à la sonnerie.

Et à toutes les autres récréations, aussi.

À la fin de la journée, Dunne et Ella Frida veulent continuer à faire de la balançoire. Elles aimeraient ne jamais s'arrêter.

Mais la maîtresse leur dit qu'il est l'heure de partir.

– Vous pourrez faire de la balançoire demain, leur dit-elle.

Et, après beaucoup d'hésitations, Dunne et Ella Frida se séparent.

Chapitre 5

Dunne est heureuse à l'école.

Elle est heureuse quand elle fait de la balançoire avec Ella Frida.

Et aussi quand elles peignent, l'une à côté de l'autre, des couchers de soleil en cours de dessin.

Car elles aiment toutes les deux les couchers de soleil.

Elle est heureuse quand la maîtresse leur dit de s'asseoir l'une à côté de l'autre en classe.

Il n'y a qu'un truc ennuyeux : ils n'ont pas de devoirs à faire à la maison.

– Pas la première semaine, a dit la maîtresse.

Mais Dunne en a tellement envie que son papa doit en imaginer pour elle.

Elle est heureuse quand la maîtresse leur dit de s'asseoir l'une à côté de l'autre à la cantine.

En attendant leur plat, elles mangent beaucoup de pain. Dunne mange des morceaux de pain en forme de triangle et Ella Frida, de rectangle.

Quand il faut se mettre par deux en gymnastique, évidemment elles se mettent ensemble.

Un jour, l'école organise une sortie à la montagne. Au début, elles regardent le paysage. Puis elles ouvrent leurs paniers-repas et Ella Frida montre à Dunne une surprise.

Une boîte qui contient deux colliers avec une moitié de cœur chacun.

– On appelle ça des colliers de l'amitié, dit Ella Frida.

Elles mettent leurs colliers et Dunne est heureuse.

Ah, elle est tellement heureuse !

Quand Dunne va chez Ella Frida,
elles jouent avec son cochon d'Inde, Partyboy. Et avec sa petite sœur, Miranda.

— Filenfe ! crie Miranda quand Dunne
et Ella Frida l'énervent.

Elle veut dire « Silence », mais elle
n'arrive pas à dire les S.

Chapitre 6

Dunne est heureuse aussi quand Ella Frida passe la nuit à la maison. C'est leur Club de la Nuit.

Il ouvre à dix heures du soir et reste ouvert aussi longtemps que nécessaire. On discute sous la couette, à la lumière de la lampe de poche, et on mange des goûters de nuit : du pain et du beurre, avec du fromage et des rondelles de concombre.

Quand elles sont trop fatiguées, chacune se tourne de son côté pour trouver le sommeil.

À chaque Club de la Nuit, Dunne est heureuse. Et il y a des Clubs de la Nuit de plus en plus souvent.

Dunne est également heureuse quand elle va avec Ella Frida à l'animalerie d'où vient Partyboy. Là-bas, il y a deux autres cochons d'Inde, très mignons. Et blancs comme des flocons de neige.

Elles décident d'en appeler un Neige, et l'autre Flocon.

– Tu devrais demander à ton papa de te les acheter, lui souffle Ella Frida.

Dunne demande à son papa, mais il ne répond rien.

Et ce que Dunne aime le moins au monde, c'est justement quand elle demande quelque chose à son papa et qu'il ne répond rien.

Cette fois, elle est vraiment triste.

Mais quelques minutes plus tard, elle est heureuse de nouveau.

À moins que ce ne soit quelques heures plus tard. Ou quelques jours.

Elle ne se souvient pas précisément, parce que à cette époque elle est très souvent heureuse.

Elle est heureuse à nouveau quand Ella Frida lui propose un échange d'images. Mais Ella Frida veut bien échanger toutes les images que Dunne demande sauf une. Celle d'un ange qui appartenait à sa grand-mère quand elle était petite.

Dunne lui propose deux images en échange mais Ella Frida répond : non.

Dunne lui en propose trois, quatre, puis cinq. Elle lui propose finalement toutes ses images.

Mais Ella Frida ne veut toujours pas échanger son ange.

Alors elles se chamaillent.

Oui, il leur arrive parfois de se chamailler.

Mais jamais longtemps. Très vite, elles s'entendent bien à nouveau.

Il n'y a pas de meilleure amie qu'Ella Frida.

Dunne et Ella Frida sont toujours ensemble,

quoi qu'il arrive,

qu'il pleuve ou qu'il vente.

Chapitre 7

À l'école, il y a la semaine des fruits et légumes. Ils apprennent tout ce qui concerne les fruits et légumes.

Et soudain, c'est les vacances de Noël.

Le soir de Noël, Dunne, le chat et Papa rendent visite aux grands-parents. Et ils ouvrent leurs cadeaux de Noël.

Mais juste après les avoir ouverts et avoir joué avec – surtout avec un ours blanc tout poilu –, Dunne a envie de revoir Ella Frida.

Aussi, elle est heureuse quand l'école recommence.

Et c'est la semaine des produits laitiers.

Et ils dessinent des vaches.

Dunne peint une vache rouge avec des grandes cornes.

Mais Ella Frida ne dessine rien du tout. Elle se cache les yeux dans les mains.

— Mais qu'est-ce qu'il y a ? chuchote Dunne. Tu pleures ?

Ella Frida ne répond pas.

La maîtresse explique à Dunne pour-quoi Ella Frida pleure.

Ella Frida doit déménager.

Quand Dunne entend ça, elle pleure aussi.

Elle pleure et pleure encore. Mais est-ce que cela sert à quelque chose de pleurer ?

Chapitre 8

Dunne est allongée dans son lit et elle compte les fois où elle a été heureuse. Mais cela ne marche pas.

Depuis qu'Ella Frida est partie, Dunne n'est plus heureuse.

Elle est malheureuse.

Elle aimerait déménager aussi.
Mais elle doit continuer à habiter ici.

Rue du Houblon

Rue du Houblon.

Où ils ont toujours habité.

Avec Papa et le chat.

Dans la maison jaune.

Qui est juste à côté de la piste de luge.

Autrefois, une maman habitait avec eux, mais elle est partie.

C'est ce que l'on dit quand quelqu'un meurt. On dit que Maman est partie alors qu'elle ne peut plus bouger.

Et partie pour où, d'abord ?

Maintenant Ella Frida aussi est partie. Mais pas de la même manière. Elle est partie en voiture. À Norrköping.

C'est une ville qui se trouve à des milliers de chemins et de routes de la rue du Houblon.

Et à des milliers de forêts, de champs, de prairies et de lacs.

Au-delà de ces milliers de forêts et de champs, et de prairies et de lacs, il y a la meilleure amie de Dunne : Ella Frida.

Chapitre 9

Depuis le jour où Ella Frida est partie, Dunne regarde tout le temps la chaise vide à côté d'elle.

Ce jour-là, à la récréation, elle tombe
dans la cour, déchire son collant et
s'écorche le genou.

Cela fait si mal qu'elle ne l'oubliera jamais. Enfin, pas avant ses trente-cinq ans au moins.

Cela ne change rien quand la maîtresse lui met un pansement sur le genou.
Un tout petit qui n'arrête pas de se dé-
coller, en plus.

Dunne ne peut pas s'empêcher de
pleurer. Mais elle ne pleure pas parce
qu'elle a mal. Elle pleure parce que Ella
Frida est partie.

Chapitre 10

Elle pleure un autre jour aussi.
Quand ils jouent au football…

... et quand Jonatan lui rentre dedans
si fort...

… qu'elle tombe en avant et se fait un trou dans la tête.

Papa doit l'emmener à l'hôpital.

Là-bas, ils lui recousent le trou et lui bandent la tête.

Mais elle ne pleure pas à cause de cela.

Elle pleure parce qu'elle n'est plus heureuse.

Chapitre 11

Et ils ont la semaine du pain et ils apprennent tout sur le pain. Mais plus rien n'amuse Dunne.

Jusqu'au jour où, sur le chemin de la maison, Papa lui demande si elle a toujours envie d'avoir des cochons d'Inde.

Et elle est un petit peu heureuse à nouveau.

Mais s'ils ont déjà été vendus ?

À l'animalerie, Dunne se précipite vers les cochons d'Inde.

Flocon et Neige sont encore là. Et ils sont aussi mignons que la première fois où Dunne les a vus.

La vendeuse les installe dans un carton et le donne à Dunne.

Et Papa achète une cage, deux petites maisons pour les cochons d'Inde, des vitamines, de la sciure de bois, du foin, deux abreuvoirs et deux mangeoires.

À la maison, Dunne dépose Flocon et Neige dans leur cage. Avec leur museau en avant, ils rentrent dans les deux petites maisons et se roulent en boule.

C'est ce que font les cochons d'Inde quand ils veulent la paix.

Quand ils sont en colère, ils claquent des dents.

Quand ils sont contents, ils grognent et leurs yeux pétillent.

Ils ne pépient que lorsqu'ils ont peur. Et ils font des crottes, aussi.

Chapitre 12

Dunne ne connaît pas d'être humain plus heureux qu'elle, mais ce n'est plus tout le temps le cas.

Plus pendant les récréations, depuis qu'Ella Frida n'est plus là.

Pendant les récréations, elle s'assoit dans la salle de jeu et regarde les garçons construire, des jours durant, une ville avec des Lego, des cubes de bois et des Kapla.

Les petites filles ne sont pas autorisées
à participer. Du coup, elles font la tête.

Au moment où les garçons ont pres-
que fini de construire la ville, Mickan
donne un coup de pied dans une tour
qui s'écroule aussitôt.

Et Vickan donne un autre coup de pied dans un château qui s'effondre lui aussi.

Soudain, Dunne se lève et – imaginez ! – s'assoit au beau milieu de la ville.

Paf la ville ! – enfin, si l'on peut dire.

Les garçons hurlent et lancent des briques sur les filles.

Mais les filles leur renvoient les briques. Ils se jettent les uns sur les autres.

Dunne pousse Jonatan si fort qu'il
tombe la tête la première par terre.
Il se met à saigner beaucoup.

La maîtresse arrive en courant. Tout d'abord, elle croit que c'est le nez de Jonatan qui saigne, puis elle découvre que ce sont ses nouvelles incisives qui sont touchées.

– Allez me chercher l'infirmière ! crie-t-elle à Vickan et Mickan.

Dunne ne connaît pas la suite. Elle n'ose pas regarder. Elle a si peur qu'elle se cache sous la table.

Chapitre 13

Après, Dunne n'est
plus heureuse une
seule seconde.

Le même soir,
son papa est invité
à une fête, et son
arrière-grand-
mère vient pour
que Dunne ne
reste pas toute
seule.

S'il n'y avait pas eu cet affreux incident, Dunne serait vraiment heureuse. Son arrière-grand-mère est si gentille et elle fait la meilleure cuisine du monde.

Elle prépare à Dunne son plat préféré : des macaronis au ketchup.

Mais ce soir, Dunne n'arrive pas à avaler une bouchée.

Elle n'arrive pas à oublier qu'elle a poussé Jonatan et qu'il a failli perdre ses nouvelles incisives.

Ce n'est qu'après avoir regardé un film pendant un bon moment qu'elle se détend et qu'elle parvient à boire un peu d'eau dans un verre posé juste devant elle.

Elle sent alors quelque chose de dur contre sa bouche : le dentier de son arrière-grand-mère ! Parce qu'elle l'enlève souvent quand cela démange.

Après, Dunne ne pense plus qu'au dentier. Est-ce que Jonatan va devoir porter un dentier ?

Est-ce que tout est de sa faute ?
Qu'est-ce qu'elle peut faire ?

Finalement, elle décide d'écrire une lettre.

Salut Jonatan !
Je n'ai pas fait exprès de te pousser
si fort. Pardon.

Dunne.

P.-S.: Au cas où tu aurais besoin
d'un dentier et que cela démange,
tu peux l'enlever et le mettre dans
un verre d'eau.

Chapitre 14

Le lendemain, Dunne veut donner sa lettre à Jonatan.

Mais il n'a pas du tout l'air intéressé.

Il a des nouvelles bretelles et un nouveau VTT.

C'est un vélo sur lequel on peut monter comme sur un cheval.

En dehors de ça, ce vélo n'a rien de spécial.

Il n'a même pas de porte-bagages.

Un peu plus tard, le vélo est couché par terre et cette fois Jonatan joue aux billes avec les autres garçons.

À la troisième tentative, Jonatan lit enfin la lettre de Dunne. Il n'aura pas besoin de dentier, lui dit-il. Ses racines vont pousser et fortifier la dent.

Alors Dunne est à nouveau heureuse.

Et quand Mickan et Vickan crient pour qu'elle vienne jouer avec elles à la corde à sauter, elle est encore plus heureuse.

La corde à sauter, c'est la spécialité de Dunne.

Ce jour-là, elle réussit cinq cents sauts. Toute la classe la regarde.

Chapitre 15

Puis ils ont la semaine de la pomme de terre et ils apprennent tout sur la pomme de terre.

Et un jour, après l'école, avec Vickan et Mickan, Dunne fait la collecte des bouteilles et des canettes vides.

Elles en ramassent plein.

Puis elles les rapportent à la boutique et, avec l'argent de la consigne, elles achètent des chewing-gums.

Et avec Jonatan, elle commence une collection de petites étiquettes collées sur les pommes et les bananes. Ils les alignent sous le tapis rouge de la salle de jeu.

Chapitre 16

Depuis cette semaine, à l'école, chaque jour commence par une heure d'écriture dans le cahier du jour.

Dunne intitule son texte :

Ma vie heureuse.

Et voici ce qu'elle écrit :

Je m'appelle Daniela mais on m'appelle Dunne. J'ai les cheveux clairs, dorés. Mes yeux sont bleus. Mon plat préféré, ce sont les macaronis au ketchup, et j'ai été heureuse à de très nombreuses reprises dans ma vie.

Elle s'arrête là.

Tout ce qu'elle écrit est vrai.

Quand elle était petite, tout et tout le monde la rendait heureuse.

Même d'avoir des doigts et des orteils, cela la rendait heureuse.

Par exemple, elle trouvait ses pieds drôles. Et elle trouvait aussi son ventre intéressant.

Et puis, surtout, elle avait sa maman avec elle.

Mais sa maman est tombée malade et elle a dû aller à l'hôpital.

De temps en temps, elle rentrait à la maison. Elle s'asseyait sous la véranda pour se reposer.

Le plus souvent, Dunne vivait chez ses grands-parents maternels.

Un soir, Papa a appelé de l'hôpital pour lui dire que Maman était partie.

Dunne était encore si petite qu'elle n'a pas compris ce que cela voulait dire.

Plus tard, sa grand-mère lui a expliqué que ce n'était qu'une façon de parler.

Maman n'était pas partie. Elle avait reçu des ailes et elle s'était envolée.

Chapitre 17

Papa s'envole aussi, mais en avion.

En Italie.

Et Dunne l'accompagne, parce que ses grands-parents paternels habitent en Italie. Ils y vont ensemble, un été sur deux.

Son plus beau souvenir de voyage, c'est quand elle s'est perchée tout en haut du chariot à bagages... Au sommet de la pile de sacs.

D'un coup, tout s'est effondré mais Papa a bondi pour attraper Dunne au vol. Son papa la sauve toujours ! Sans lui, elle n'aurait pas su s'en sortir.

Heureusement qu'elle a son papa.

Une autre fois, dans un restaurant en Italie, elle est tombée et s'est écorché la main, le genou et le nez.

Les gens du restaurant étaient tellement désolés pour elle qu'ils lui ont offert une grande tarte au chocolat.

Dunne l'a partagée avec toute la famille.

Plus tard, elle a joué avec son cousin Alessandro jusqu'à ce qu'ils soient si fatigués qu'ils se serrent l'un contre l'autre.

Dunne parlait en suédois et Alessandro en italien.

— *Fiore*, disait Alessandro.

Cela signifie « fleur ».

Puis il disait : *Amore.*

Cela signifie « amour ».

Ce mot-là, Dunne l'a compris parce que son papa le lui dit tout le temps.

Chapitre 18

— *Amore*, dit Papa en jetant un coup d'œil dans sa chambre. Tu ne dors pas encore ?

— Non, répond Dunne. Je n'y arrive pas.

Normalement, il lui suffit de tendre le front pour le bisou du soir, et elle s'endort tout de suite. Mais pas ce soir : elle n'arrive pas à fermer les yeux.

– Qu'allons-nous faire ? demande Papa, inquiet. Tu as soif ?

– Oui, dit Dunne, sans doute.

Il paraît que certains enfants ont besoin de boire la nuit. C'est ce qu'elle a entendu. Peut-être qu'elle est un de ces enfants. C'est pourquoi elle accepte de boire un verre de lait avec du miel.

Flocon et Neige ne dorment pas non plus et ils la regardent.

Sans doute se demandent-ils ce qu'il se passe.

– *Amore*, chuchote-t-elle à Neige. *Amore* aussi, chuchote-t-elle à Flocon.

Dunne est perdue dans ses pensées. Où en est-elle ?

Ah oui : elle vient de réussir cinq cents sauts à la corde.

Son record.

Et toute la classe l'a regardée.

À ce moment-là, elle était heureuse.

Mais elle n'a plus de meilleure amie.

Seulement d'autres sortes d'amis.

Comme Jonatan, Vickan et Mickan. Et un autre qui s'appelle Metteborg. Lui aussi, elle l'aime bien.

La classe de Dunne est une classe inhabituellement bonne, a dit la maîtresse à son papa. Personne n'est à la traîne.

Mais elle oublie Benni, le garçon qui ne voulait pas aller à l'école et à qui sa maman avait promis un bonbon.

Un jour, il s'est faufilé hors de la classe pour courir à la boutique de bonbons. Et il s'est refaufilé en classe, comme si de rien n'était.

Mais la maîtresse l'a remarqué.

Et à la pause, elle a parlé sérieusement avec Benni. Personne ne sait ce qu'elle lui a dit, mais cela n'a rien changé. Benni mange toujours des bonbons en classe même s'il n'a pas le droit.

Et parfois, il rampe par terre, sous les tables, et attrape les jambes comme s'il était un crocodile.

Le plus souvent, il finit assis à côté de la maîtresse, derrière son bureau.

Maintenant, vient le meilleur.

Dunne l'a gardé pour la fin : elle a reçu une lettre de Norrköping.

Ce jour-là, elle est heureuse comme jamais elle ne l'a été dans sa vie.

Voici ce que disait la lettre :

Chère Dunne !
Je ne peux pas vivre sans toi.

Meilleures salutations d'Ella Frida.

Et dans le fond de l'enveloppe…

… il y avait l'image préférée d'Ella
Frida : l'ange.

Chapitre 19

Dunne s'est dépêchée de répondre :

Chère Ella Frida !

Il va falloir attendre d'être plus grandes. Alors, on pourra déménager dans la même ville, habiter dans la même maison et avoir le même travail. On ira travailler dans la même boutique. Ou alors on pourrait soigner des animaux d'Afrique et d'Australie malades.

Meilleures salutations aussi, de Dunne.

P.-S. : Norrköping, c'est bien aussi.

Très vite, elle a reçu une nouvelle lettre :

Salut Dunne !

Je ne peux pas attendre aussi longtemps.

Tu ne veux pas venir pour les vacances de Pâques ?

Meilleures salutations, Ella Frida.

Et quelques jours plus tard, la maman d'Ella Frida a appelé le papa de Dunne pour lui demander si Dunne pouvait leur rendre visite.

Dunne part demain.

Elle a envie d'être déjà demain.

Mais le temps n'avance pas vite quand elle a ce genre d'envie.

Flocon et Neige sont du voyage : ils vont rencontrer Partyboy.

Chapitre 20

Papa passe une nouvelle fois la tête par l'embrasure de la porte.

— Dunne, qu'est-ce que tu fais ? chuchote-t-il. Va dormir !

Il voudrait bien dormir, lui aussi.

Il doit faire un long voyage avec Dunne jusqu'à Norrköping.

— Je suis si heureuse que je n'arrive pas à dormir, proteste-t-elle.

— Je connais un truc, dit Papa. Il faut compter…

— Ah non, pas compter ! râle Dunne. C'est ennuyeux, de compter.

— Alors compte à l'envers, propose Papa. De 20 à 0.

— 20, 19, 18, compte Dunne.

Mais cela n'aide pas du tout.

Quand elle arrive à 17, elle se souvient d'un autre truc que lui a donné
sa cousine Roseanna.

Il faut fermer les yeux comme si l'on
dormait.

Parfois, on peut s'endormir pour de
vrai.

Ça marche !

Après un tout petit moment, Dunne s'endort.

Et quand elle se réveille, c'est enfin le matin et enfin le départ.

Enfin Norrköping.

Et c'est le début d'un nouveau chapitre de la vie heureuse de Dunne.